W9-CSK-577

Stray Kids
MINI ALBUM

MAXIDENT

GO
No.9090

Stray Kids
MINI ALBUM

MAXIDENT

GO
No.9090

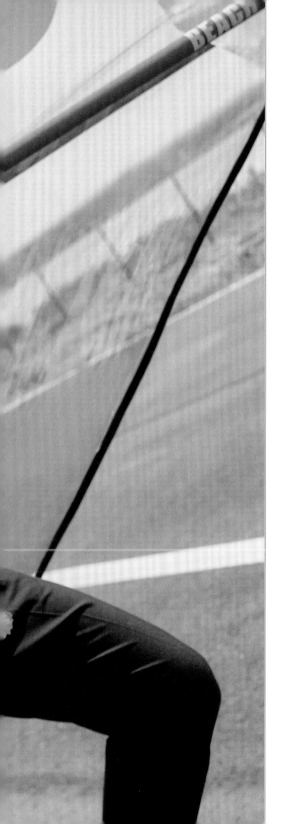

GO
No.9090

GO
No.9090

Stray Kids
MINI ALBUM

MAXIDENT

GO
No.9090

Stray Kids
MINI ALBUM

MAXIDENT

GO
No.9090

MAXIDENT

Stray Kids
MINI ALBUM

MAXIDENT

GO
No.9090

Stray Kids MINI ALBUM

MAXIDENT

1. CASE 143 TITLE
2. 식혜 CHILL
3. Give Me Your TMI
4. SUPER BOARD
5. 3RACHA (방찬, 창빈, 한)
6. TASTE (리노, 현진, 필릭스)
7. 나 너 좋아하나봐 Can't Stop (승민, 아이엔)
8. CIRCUS (Korean Ver.)

**STRAY KIDS EVERYWHERE ALL AROUND THE WORLD
YOU MAKE STRAY KIDS STAY**

THANKS

Stray Kids
MINI ALBUM

MAXIDENT

GO
No.909

상 좋은 말씀 해주시고 응원해주시는 박진영 피디님, 정욱 사장님,
상봉 부사장님 덕분에 저희가 꾸준히 저희만의 페이스를 지킬 수 있고,
제나 옆에서 큰 힘이 돼 주셔서 너무 감사합니다.
랑하는 송지은(Shannen) 대표님, 저희의 첫 시작부터 한 걸음
걸음 함께 걸어와 주시고 항상 저희를 믿어 주셔서 진심으로
사합니다.
리 1본부 형 누나들, 저희 스트레이 키즈가 1본부라서 너무 행복하고
랑스럽습니다. 형, 누나들이 있어서 저희가 매일매일 어떤 현장이든
내면서 스케줄을 마칠 수 있었습니다. 많은 태풍들, 큰 파도들을 겪을
도 있었지만 1본부라는 배 안에서 모두가 시간이 지날수록 더 뭉치고
까워지면서 수평선을 향해 가고 있는 것 같아 앞으로도 계속 함께
고 싶은 소중한 존재들입니다. 늘 고생하는 우리 1본부 형 누나들,
으로도 저희 스트레이 키즈가 더 멋지게 성장해서 형 누나들이
디에서도 자랑하고 자부심 가질 수 있도록 최선을 다하겠습니다.
상 감사합니다.

은 가르침으로 JYP의 멋진 후배들을 양성해 주시기 위해
생해주시는 신인개발본부 형, 누나들 항상 건강 잘 챙기시고
복하세요!! 자주 놀러 갈게요ㅎㅎ
희 본부와 같은 층에서 2본부 아티스트분들을 위해 밤낮으로
생해주시는 아티스트 2본부 형 누나들 너무 무리하지 마시고 항상
강 잘 챙기시길 바라요. 매번 웃는 얼굴로 인사해 주셔서 감사합니다.
희 스키즈가 항상 응원하겠습니다!

상 진심 어린 응원으로 저희에게 힘을 주시는 아티스트 3본부 분들
으로도 그 응원에 힘입어 열심히 하고 스트레이 키즈라는 이름을
널리 알릴 수 있도록 열심히 하겠습니다. 항상 건강하시고 행복한
루들을 보내셨으면 좋겠습니다!

티스트 4본부 JYP 식구분들!! 앞으로 하시는 일들 다 잘되고
복하시길 저희 스트레이 키즈가 응원하고 있습니다!!!! 저희도 많이
원해주세요!!ㅎㅎ

TUDIO J본부 분들 지금까지 많은 응원 감사드리며, 요즘
누나들도 바쁜 것 같아 못 본 지 오래됐네요! 시간 날 때 다같이
아뵐게요! 그럼 앞으로도 더 노력하는 스트레이 키즈가 될 테니
켜봐 주세요!!

외협력본부 식구분들 항상 저희 홍보도 해주시고 좋은 스케줄
이 할 수 있게 도와주시는데 저희도 감사한 마음 잊지 않고 열심히
리도록 하겠습니다!!! 같이 화이팅입니다!!

상 잘 챙겨 주시는 광고사업실 분들 감사드립니다. 더욱더 열심히
테니 앞으로도 많은 광고 부탁드릴게요ㅎㅎ 그럼 현장에서 반갑게
사드릴 테니 지켜봐 주세요!
영지원실 형 누나들! 잘 보지는 못하지만 많이 응원해 주셔서
말 큰 힘이 되고 있습니다! 많은 도움 주셔서 감사드리고 앞으로도

MD를 항상 신경 써 주시고 담당해 주시는 JYP Three Sixty분들!
오가며 저희 챙겨 주셔서 감사합니다. 저희의 좋은 모습을 담아낼 수
있도록 더 노력하겠습니다. 감사합니다!
JYP 퍼블리싱 분들 지금까지 좋은 음원이 나올 수 있도록
신경 써 주셔서 감사합니다! 올해도 잘 부탁드리며 더욱 열심히 하는
스트레이 키즈가 되겠습니다!!

일본지사 여러분! 그동안 데뷔부터 열심히 잘 지켜봐 주셔서,
또 해외 스테이를 만날 수 있게 해 주셔서 진심으로 감사합니다ㅜㅜ
저희는 아직도 부족하지만, 늘 열심히 성장하려고 노력하면서
앞으로도 계속 함께 했으면 좋겠습니다. 많은 활동을 준비하면서
형, 누나들 덕분에 더 성장하고 있는 스키즈가 되고 있습니다. 감사합니다!
중국지사 여러분! 지금까지 스키즈와 함께해 주셔서 진심으로
감사합니다! 앞으로도 많은 목표들이 아직 남아있고, 늘 열심히
성장하려고 노력하면서 계속 함께 했으면 좋겠습니다! 많이 지켜봐
주세요! 감사합니다.

우리 많은 JYP 아티스트분들 항상 좋은 음악을 위해 노력해 주셔서
감사합니다. 저희도 좋은 음악 들려드리겠습니다.
2PM 선배님, 버나드 박 선배님, DAY6 선배님, TWICE 선배님,
ITZY, BOY STORY, NiziU, Xdinary Heroes, NMIXX
모두 감사합니다!
그리고 항상 우리 이쁘게 만들어 주시는 희우누나, 민주누나,
지원누나, 진형누나, 정아누나, 유나누나, 슬기누나, 예리누나
너무너무 감사드립니다. 앞으로도 잘 부탁드려요!

지금까지 저희 앨범을 멋지게 만들어 주셨는데 이번 앨범도 눈에
멋지게 담길 수 있게 만들어 주신 뮤직비디오 감독님, 트레일러 감독님,
자켓 감독님을 포함한 모든 감독님들 감사드립니다.
더욱더 열심히 하는 스키즈가 될게요! 그럼 현장에서 큰 에너지 가지고
인사드리겠습니다. 감사합니다!

멤버 가족분들! 덕분에 멤버들끼리 사이도 좋고 가족같이 지낼 수
있는 것 같습니다!! 저희들을 잘 보살펴 주시고 이렇게 모일 수 있게
해 주셔서 감사합니다!
우리 멤버들, 올해 투어 그리고 미니앨범 열심히 준비하면서 많이
피곤했을 텐데 스테이한테 줄 소중한 선물을 같이 준비하느라
고생했고 고마워! 생각보다 시간이 많이 흘러가면서 서로에게
위로해주면서 많이 행복하고 더 기뻐졌어. 다 멤버들 덕분이고,
더 잘해주고 싶어ㅋㅋ 큰 가족처럼 서로 이해해주면서
더 많이 추억도 만들어 가고 행복하자~

우리 스테이! 이번 앨범은 어떻게 듣고 있는지 벌써 궁금하네요.
언제나 많은 응원과 사랑 보내주는 우리 스테이가 기대하는 만큼
멋진 앨범이길 바랍니다. 지금까지 변함없는 사랑과 행복한 날들을
만들어갈 수 있게 해준 우리 스테이! 앞으로도 멋진 곡들과 더 멋진
음악을 만들 수 있도록 더 노력하고 열심히 할게요!
사랑해요 스테이!! 고마워요 스테이!!!

BANG CHAN

안녕하세요 찬입니당. 꿈 같은 한 해를 보내고 있는 것 같습니다.
JYP 식구분들, 1분부 형 누나들, 헤어 메이크업 스타일리스트 누나들, 선배님들, 후배님들, 가족분들, 친구들
그리고 그 무엇보다 우리 소중한 스테이, 다 여러분들 덕분에 제가 꿈꿔왔던 순간들을 보낼 수 있습니다.
절대로 깨고 싶지 않은 이 꿈이 더 오래 갈 수 있도록 저도 앞으로도 항상 최선을 다하며 더 든든한 사람이 되어서
여러분들, 멤버들 그리고 스테이가 인정할 수 있는 멋있는 사람이 되겠다는 약속을 하겠습니다.
저와 함께 이 아름다운 꿈을 같이 보내주셔서 너무 감사합니다!
이 글을 읽고 있는 그대가 항상 건강했으면 하고 행복했으면 합니다~!

LEE KNOW

안녕하세요, 리노입니다. 18년도 3월에 데뷔해서 벌써 22년도인데 정말 차근차근 한 계단씩 올라온 것 같습니다
너무 신기하고, 아직 올라가고 싶은 계단이 많습니다. 이 앨범으로 또다시 한 계단 올라가서 더욱 많은 분들에게
저희의 이야기가 담긴 곡을 들려드리고 싶어요!! 앞으로도 힘차게 달려가봅시다!!

CHANGBIN

이번 앨범을 위해 함께 밤낮으로 고생해주신 모든 JYP 가족분들과 그 외 스텝분들 항상 너무너무 감사드립니다.
모든 분들 덕분에 저희 스트레이 키즈가 더 큰 목표와 꿈을 향해 나아갈 수 있는 것 같아요.
우리 멤버들과 스테이!! 내가 음악과 무대를 행복하게 즐길 수 있는 이유가 되어줘서 고마워요!! ♡
마지막으로 사랑하는 우리 가족 항상 믿고 응원해줘서 고마워♡ 내사람들 모두가 행복만 가득했으면 좋겠어요!!

HYUNJIN

매 앨범을 내면서 정말 많은 도움을 받고 있는 것을 다시 한번 느낍니다.
나를 사랑하는 사람들과 내가 사랑하는 사람 모두에게 감사합니다.
기대치가 점점 높아질수록 앨범에 쏟아내는 열정의 그릇이 전보다 계속 커져 꽉꽉 눌러 담느라 고생한 회사분들
그리고 멋진 스텝분들 모두 감사합니다.
올 엄마, 아빠, 까미를 위해 더 멋지게 성장하겠습니다. 감사합니다!

HAN

안녕하세요! 한입니다!
하나의 앨범을 만들 때마다 정말 많은 분들의 손과 손을 거쳐 가며 완성되는 걸 느낍니다.
언제나 많은 분들의 도움을 받아 더 좋은 퀄리티의 앨범을 만들 때마다 참 감사하고
그 '어느 것 하나 소중하지 않은 것이 없다'고 느껴지는 것 같습니다.
우리 멤버들, 회사 식구분들의 노력 그리고 멤버 가족분들과 스테이의 응원과 사랑이 없었으면
불가능했을 일입니다!
언제나 같은 마음으로 열심히 하고 더 나은 모습 보여드릴 수 있도록 노력하겠습니다! 감사하고 사랑합니다!!

FELIX

스테이! 이번 곡들 어때요?
많은 행복을 받았으면 다행이고 우리에게 힐링을 줘서 고마워♥ 스테이가 항상 응원해준 만큼 우리가 그 행복으로
더욱더 높이 같이 성장을 할 수가 있었어. 앞으로도 계속 쭉 행복하자.
행복한 마음으로 우리가 이렇게 크게 또 멋진 컴백을 할 수가 있었던 것은 진심으로 STAY 덕분이야.
지금 느끼고 있는 감정과 사랑을 다양하게 표현해줄 테니, 많이 지켜봐 줘 <3

SEUNGMIN

승민입니다! 이번에도 역시나 많은 분들의 도움과 노력이 어우러져 행복하게 미니앨범을 발매하게 되었네요.
어딘가 색다른 컨셉으로 보여지게 되는 앨범일 것 같아서 기대가 많이 돼요! 길고 길었던 시간이 지나고
스테이를 직접 마주하게 된 올해, 이번 앨범 활동 속에서 원래대로 서로 가까이서 할 수 있을 것 같아
너무 반갑고 즐거울 것 같습니다. 언제나 감사함 속에서, 변함없이 여러분 곁에서 노래하고 춤추겠습니다.
이번에도 지켜봐 줘요! 항상 고마워.

I.N

안녕하세요. 스트레이 키즈 아이엔입니다. 가을이 시작되는 시기에 이렇게 저희가 좋은 앨범으로 컴백하게
되었는데요, 스테이 덕분에 저희가 이렇게 좋은 곡들로 돌아오게 된 거 같습니다. 항상 저희는 많은 분들에게 좋은
곡을 들려드리고 좋은 무대를 보여주자는 생각으로 매 앨범을 작업하고 연습하고 준비하는데요, 저희의 노력이
스테이에게 잘 전달되었으면 좋겠습니다. 이러한 노력을 할 수 있는 이유는 스테이 덕분인 거 같아요.
항상 노력하고 성장할 수 있는 아티스트로 만들어줘서 고맙습니다. 더 열심히 하겠습니다.

CREDIT

Stray Kids
MINI ALBUM

MAXIDENT

CONTENTS PRODUCTION

PRODUCER	J.Y. Park "The Asiansoul"
PLANNING & MANAGEMENT	아티스트 1본부
DIRECTION	송지은 (Shannen Song)
PROJECT MANAGER	박리안, 허수진
MUSIC	박다영, 정주희, 김윤재
PRODUCTION	김선미, 김주현, 한아름, 김유미, 김도형
MARKETING	이성아, 김윤정, 방혜리, 김미희, 김지은, 서수연, 유현지, 이지현, 김우인, 김수미, 정지윤, 나예진
INHOUSE VIDEO	전슬기, 이유진, 정민, 정가을
MANAGEMENT	조정한, 강화목, 이창진, 김은영, 박상훈, 이상윤, 김은섭, 김준수, 이형근, 이상우, 조의환, 송정근
ADMIN	정예진, 이효빈
RECORDING ENGINEER	엄세희, 이상엽, 구혜진 at JYPE Studios, 홍지상 at Jisang's Studio, 방찬 (3RACHA) at 찬이의 "방" (Channie's "Room")
MIXING ENGINEER	이태섭 at JYPE Studios, 윤원권 at Studio DDeepKICK 김석민 at Pizza Studio
MASTERING ENGINEER	권남우 at 821 Sound Mastering
MUSIC VIDEO DIRECTOR	725 (@SL8)
TRAILER DIRECTOR	이혜성 (@해트트릭)
PHOTOGRAPHER ASSISTANT	이세형 (@MIXTAGE) 정민우, 정성윤, 윤하영
HAIR DIRECTOR	희유, 김민주 (@The J)
MAKE UP DIRECTOR	전지원, 박진형
STYLE DIRECTOR	박정아, 안유나, 천슬기, 박예리
ALBUM DESIGN	나래 @GRAEY
JACKET SET DESIGN	VANART
CHOREOGRAPHER	김범, 권영득, EZTWINS, KEONE MADRID, 퍼포먼스디렉팅 LAB

GO
No.9090

JYP STAFF

EXECUTIVE PRODUCER	정욱 (Jimmy Jeong)

아티스트 1본부
송지은 (Shannen Song), 박리안, 허수진, 이성아, 조정한, 김윤정, 김선미, 강화목, 이창진, 김은영, 이상윤, 박상훈, 박다영, 전슬기, 김주현, 한아름, 방혜리, 김미희, 김유미, 이유진, 김지은, 서수연, 정예진, 정주희, 유현지, 김은섭, 김준수, 김소영, 이지현, 이형근, 김도형, 김수미, 정지윤, 조의환, 아리모토 루나, 나예진, 이상우, 송정근, 김윤재, 김우인, 이효빈, 정민, 정가을

아티스트 2본부
김희원, 김지혜, 박순형, 최세지, 차지윤, 김태림, 김기철, 안호현, 노승연, 이가영, 김송이, 이혜린, 김예진, 가람, 신효림, 김미경, 배지영, 김성은, 김주빈, 안서정, 김화영, 이은재, 김정림, 정효진, 박상호, 지상경, 정주용, 이현진, 김연주, 허호정, 이기주

아티스트 3본부
신현국, 정준길, 김여주, 황미현, 양재석, 차윤진, 안은미, 원서영, 조소욱, 김민경, 서혜원, 조은채, 손민교, 김여진, 서연아, 이소연, 손여령, 주보라, 신선화, 변지영, 조한미, 강주연, 윤수원, 성지원, 정용교, 전용진, 양다설, 유아름, 신준호, 이민경, 장정윤, 김지현, 문준호, 강준, 원종호, 신새롬, 김소라

아티스트 4본부
이지영, 장하나, 김다미, 김지형, 황현준, 박해은, 박선영, 이청하, 김혜연, 채동진, 황수지, 손현서, 정종원, 문지윤, 이승미, 박기태, 김소현, 최아선, 홍시내, 예서연, 이시형, 이재연, 이승현

STUDIO J본부
문호윤 "Moonworker", 유영준, 김성진, 최경신, 편무준, 홍예리, 권대은, 김채린, 신효진, 서광훈, 정원규, 이승희, 황승민, 정지연, 박동이, 이예진, 박강순, 임동현, 김다열, 김혜원, 김태준, 정가영, 노지희

신인개발본부
이지영, 김현경, 이시은, 이준구, 이동환, 김경태, 지혜민, 이다인, 이유리, 전영균, 김성하, 최유진, 오소영, 이종화, 송노엘라

대외협력본부
퍼포먼스디렉팅 LAB
대외협력실
박남용, 김형웅, 윤희소, 유광열, 나태훈, 복미란, 김선미, 강다솔, 박경석, 심규진, 임세민, 전유경, 이소정 김상호, 이서윤, 김재현, 최지은, 임아현, 손서혜, 박예은, 피현식, 이지연, 허하영, 박지은, 송은지, 선진철, 강영걸, 진종구, 부경민, 박상익, 박미리

사업지원본부
광고사업실
경영지원실
변상봉
윤재호, 이정윤, 김호수, 조성민, 김예리, 정은옥, 이승은, 마세빈, 김다애, 김정민, 이진아, 김영희, 임수환 배용효, 김효정, 이보람, 황교희, 안준호, 이혜빈, 이가은, 박원배, 최예니, 안윤주, 진영주, 윤혜민, 김세진, 허혜원, 주성현, 송성호, 이재서, 조상현, 이슬기, 장소호, 백현주, 김강민, 최한욱, 노슬아, 용채린, 박종욱, 김동욱, 김소진, 천영환, 조영욱, 박찬, 최시용, 박시현, 최찬무, 김태은, 신현주, 김미경, 이지현, 김현호, 신은호, 김선경, 김재영, 김도영, 박미진, 최영완, 위영준, 민근호, 이지윤, 김예림, 정주영, 노현호, 고은서

RECORDING ENGINEER팀
이태섭, 임홍진, 엄세희, 박은정, 이상엽, 구혜진, 임찬미

JYP PUBLISHING
CEO
ASSISTANT
이정윤
정은경, 조현우, 이승민, 김도윤

JYP CHINA
CEO
ASSISTANT
이철훈
Liu Miao, 오성철, Li Meilan, Zhu Xiaoyan, Jin Peixin, 최경환, Zhao Shali, Li Xiaozhu, Zheng Xunhai, 신민정, Xu Shenghua, Jin Lanying, Wang Xiaoshuang, Quan Yuji, Wang Haoyang, 엄연정, Hu Yaodan, Wang Zhe, Yu Liang, Li Xiangzi, Ying Jinge, Fu Yifang, Lyu Zhuoman, Shi Jiao, Li Huiting, Wang Xuan, Li Yilin, Yang Jingyi, Zhao Jianshu, Pei Meishan, Qiu Yang, Fan Haoruo, Song Jian

JYP JAPAN
CEO
ASSISTANT
송지은 (Shannen Song)
정경희, Saiki Ayumi, Narita Rinko, 이지훈, 전은정, 홍민아, 김은선, 황현선, Sudo Fuka, 김예진, 지정현, 한경숙, 박미현, 박인영, 권혜은, 정승은, Yoshimura Seina, 안혜지, 유은애, Takahashi Rika, 박경미, 이은경, 김다이, Iwatani Erin, 이한결, 장창재, 김현, 우혜린, 김유하

JYP USA
CEO
신현국

JYP THREE SIXTY
CEO
ASSISTANT
신현국
김기재, 김하림, 김효주, 한수연, 김수민, 조예진, 최슬아, 이현경, 최윤용

JYP PICTURES CHINA
CEO
이철훈

JYP PUBLISHING USA
재무
마케팅
안진영
Justin Song

Stray Kids